P9-DFA-513

Edité et produit par :
Creations for Children International, Belgique.
http://www.C4Ci.com

Imprimé en Chine

Pinocchio

illustré par VAN GOOL

Le vieux Geppetto est bien triste : sa femme est morte et il vit tout seul. Alors, un jour, pour se distraire, il fabrique un pantin de bois. Or, dès qu'il est fini, celui-ci se met à bouger !

La marionnette parle, ouvre les yeux, et va s'asseoir toute seule auprès du feu ! Geppetto est ravi : depuis le temps qu'il voulait un enfant !
– Je t'appellerai Pinocchio, lui dit-il, ça te plaît ?
– Pas mal, dit Pinocchio. Et toi, quel est ton nom ?
– Geppetto. Mais il faudra m'appeler papa.
Tu as beau être en bois, tu es un fils pour moi !

Geppetto achète un livre à Pinocchio
et l'envoie à l'école.
– Les enfants doivent s'instruire
pour devenir des hommes, lui dit-il.
Travaille bien, mon garçon.
– Promis, dit Pinocchio.
Et le voilà parti...

Mais, en voyant un théâtre,
il bondit sur la scène.

Pinocchio fait un numéro qui est très applaudi :
un pantin qui parle, on n'a jamais vu ça !
Les pièces d'or pleuvent sur lui !

Il les met dans sa poche et repart,
plein d'entrain. Or deux filous l'ont vu :
– Viens plutôt à l'auberge, lui disent-ils
gentiment. C'est plus drôle que l'école !

Sans doute... Sauf que les deux gredins n'ont pas un sou en poche. Quand ils ont bien trinqué, bien bu et bien mangé, c'est Pinocchio qui doit payer !
– Je n'ai plus que cinq pièces ! Que va dire mon papa ?
– Il te dira bravo, affirment les coquins, car bientôt tu en auras cinq cents ! Suis-nous, tu comprendras...

Une fois dehors, les deux bandits commandent :
– Marche jusqu'à cet arbre que tu vois là-bas. Creuse un trou dans la terre, et sème tes pièces dedans. Demain, tu seras riche !

Pinocchio obéit. Dès qu'il se croit tout seul, il marche jusqu'à l'arbre, creuse un trou bien profond, et enterre ses cinq pièces. Puis il se couche dans l'herbe en attendant qu'elles se multiplient...

Mais, au milieu de la nuit, les deux bandits reviennent.
Déguisés en fantômes, ils brandissent des fusils :
– Hou ! hou ! hou !
Pinocchio se réveille. Il est terrorisé ! Oubliant
ses pièces d'or, il s'enfuit droit devant...

Il court très loin et très longtemps.
Une maison, enfin !
– Au secours, Madame ! Au secours !
La dame à sa fenêtre lui fait signe
d'entrer. Sauvé !

– Mais tu es Pinocchio ! s'exclame alors la dame. Moi, je suis la fée bleue. C'est moi qui t'ai donné la vie, pour faire plaisir à ton papa. Pourquoi n'es-tu pas avec lui ?
– Je reviens de l'école, affirme Pinocchio.

Mais à ces mots, son nez grandit, grandit !
– Que m'arrive-t-il ? s'écrie Pinocchio.
– Il t'arrive ce qu'il arrive toujours lorsqu'on dit un mensonge ! explique la fée. Dis-moi la vérité...
Pinocchio avoue tout... et son nez rétrécit !

Puis il promet de rentrer chez son père.
Mais dehors il rencontre un cocher
qui conduit les enfants dans une île
enchantée :
– Viens avec nous, tu vas bien t'amuser !

– Pourquoi pas ? dit Pinocchio, oubliant sa promesse.
Et le voilà parti pour le Pays des Jouets. Il ne le regrette pas : ici, tout est permis, on mange les glaces par deux, les sucettes sont géantes et les manèges gratuits ! Un seul détail l'inquiète : plus il fait de bêtises, plus ses oreilles grandissent...

Et voilà le résultat : le lendemain matin, Pinocchio est un âne ! on le vend dans un cirque, mais il se casse une patte ! Le dompteur est furieux :
– Sale bourrique ! hurle-t-il, tu vas le regretter !

Le dompteur lui fait attacher une pierre autour du cou et le pousse dans la mer.
– Au secours ! crie Pinocchio.

La fée a dû l'entendre... car, dès qu'il
est dans l'eau, il redevient pantin !

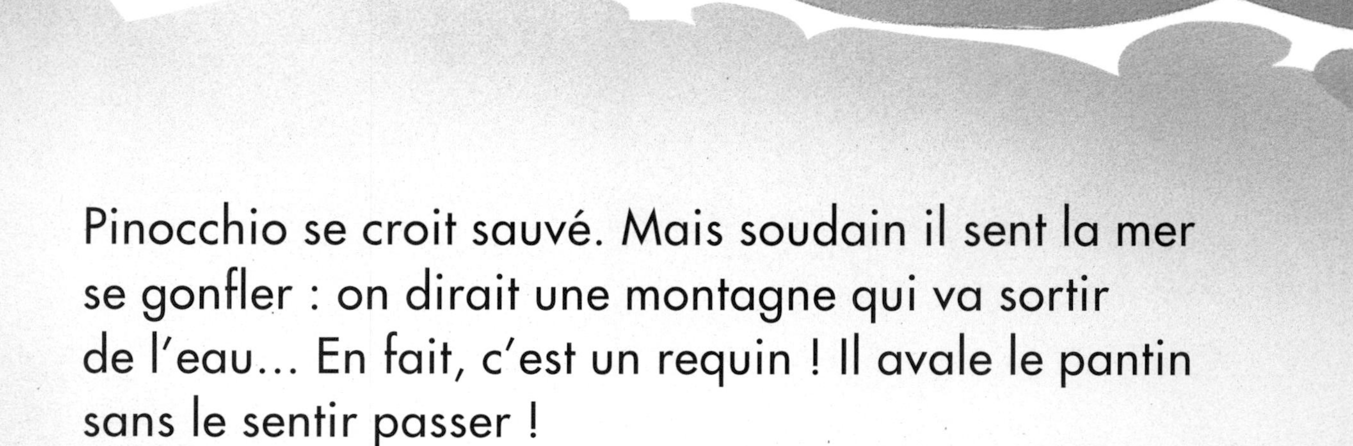

Pinocchio se croit sauvé. Mais soudain il sent la mer
se gonfler : on dirait une montagne qui va sortir
de l'eau... En fait, c'est un requin ! Il avale le pantin
sans le sentir passer !

Mais, dans son ventre, il y a déjà du monde : un poisson plus petit et, perché sur son dos... Geppetto !
– Papa ! crie Pinocchio.
– Mon petit ! Je t'ai cherché partout !
– Cramponnez-vous ! dit alors le poisson. Et, prenant son élan, il ressort du requin par où il est entré !

Bien des jours ont passé.
Un soir, chez Geppetto,
la fée bleue apparaît :
– Mais tu travailles ! dit-elle
en voyant Pinocchio penché
sur son cahier.
– Et papa se repose ! Il en
avait besoin, après tous les
soucis que je lui ai causés !
– Pour te récompenser,
je vais te transformer en vrai
petit garçon...